Croque-musique

20 comptines pour chanter et danser

Données de catalogage avant publication (Canada)

Laberge, Jocelyne

Croque-musique : 20 comptines pour chanter et danser

Pour enfants de 3 à 6 ans.
Le livre est accompagné d'un disque compact.

ISBN 2-89512-207-5 (livre avec disque compact)

1. Chansons enfantines. 2. Comptines françaises.
3. Théorie musicale élémentaire. I. Gay, Marie-Louise.
II. Titre.

M1990.L117 2001 782.42'083 C2001-940435-2

À mes treize petits-enfants,
qui ont acquis leurs premières
notions musicales grâce à
ces petites comptines.
J. L.

Éditrice : Dominique Payette
Directrice de collection : Johanne Ménard
Direction artistique et graphisme : Primeau & Barey
Illustration de la couverture : Marie-Louise Gay
Collaboration aux textes : Christian Laberge
Réalisation (CD) : Jocelyne Laberge
Prise de son et mixage : Martin Messier

Dépôt légal : 3e trimestre 2001
Bibliothèque nationale du Québec
Bibliothèque nationale du Canada

Dominique et compagnie
300, rue Arran, Saint-Lambert (Québec)
Canada J4R 1K5
Téléphone : (514) 875-0327
Télécopieur : (450) 672-5448
Courriel : info@editionsheritage.com

Imprimé en Chine

10 9 8 7 6 5 4 3 2

Nous remercions le Conseil des Arts du Canada de l'aide
accordée à notre programme de publication, ainsi que la
SODEC et le ministère du Patrimoine canadien.

Gouvernement du Québec – Programme de crédit d'impôt
pour l'édition de livres – Gestion SODEC

Croque-musique

20 comptines pour chanter et danser

Jocelyne Laberge

Illustrations :
Steve Beshwaty • Marie-Louise Gay
Stéphane Jorisch • Mireille Levert

Arrangements musicaux : Alain Blais

Voix : Richard Lalancette
Johanne Rodrigue

Dominique et compagnie

C'est un petit bonhomme...

C'est un pe - tit bon-hom-me, Oh! comm' il est gen - til! Pas plus haut que trois pom-mes, Il a beau-coup d'a - mis.

C'est un petit bonhomme,
Oh! comme il est gentil!
Pas plus haut que trois pommes,
Il a beaucoup d'amis.

Am stram gram

Am stram gram
Pic et pic et colegram
Bourre et bourre et ratatam
Am stram gram

En traîneau

Je glis - se sur le co - teau. Com - ça vi - te, com - ça vi - te! Je glis - se sur le co - teau. Com - ça vi - te en traî - neau!
me va me va me va

Je glisse sur le coteau.
Comme ça va vite, comme ça va vite !
Je glisse sur le coteau.
Comme ça va vite en traîneau !

Le crapaud qui sautait très haut
Voulait aller de plus en plus haut.
Mais comme il n'est pas un élastique,
Il n'a pu faire les Olympiques.

Le crapaud

Le cra-paud qui tait haut Vou-lait al-ler de en haut. Mais il n'est un é-ti-que, Il n'a pu fair' O- pi-ques.
sau- très plus plus comm' pas las- les lym-

Surprise !

J'ai dans ma main un beau cadeau.
Choisis cette main derrière mon dos.
Dans ta main droite ? Non, pas celle-là !
Dans ta main gauche ? Oui, tiens, voilà !

Picoti et picota

U - ne pou - le creus' un trou, Grat - te, grat - te le sol mou, Pi - co - ti et pi - co - ta, Trouv' une graine et puis s'en va.

Une poule creuse un trou,
Gratte, gratte le sol mou,
Picoti et picota,
Trouve une graine et puis s'en va.

Pourquoi ?

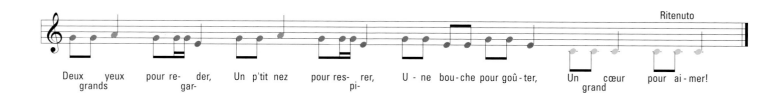

Deux grands yeux pour regarder,
Un petit nez pour respirer,
Une bouche pour goûter,
Un grand cœur pour aimer !

Trotte,
trotte la souris…

Trotte, trotte la souris
Qui cherche le bon fromage.
Trotte, trotte la souris
Qui cherche le bon fromage.

Souricette qui l'a trouvé
Invite le voisinage.
Tous les amis vont fêter
En dégustant le fromage.

À l'abri, les oiseaux !

Ritenuto... Da Capo

1. Ve-nez, mes pe-tits oi-seaux, Car la tom-be, Car la tom-be. Ve-nez, mes pe-tits oi-seaux, Car la pluie vient d'en haut.
   pluie   pluie

2. Ca-chez-vous tous à l'a-bri, Car la tom-be, Car la tom-be. Ca-chez-vous tous à l'a-bri, Bien au chaud dans le nid !
   pluie   pluie

Venez, mes petits oiseaux,
Car la pluie tombe,
Car la pluie tombe.
Venez, mes petits oiseaux,
Car la pluie vient d'en haut.

Cachez-vous tous à l'abri,
Car la pluie tombe,
Car la pluie tombe.
Cachez-vous tous à l'abri,
Bien au chaud dans le nid !

Une grenouille qui chantait faux
Rencontra un gros crapaud.
Elle lui dit en soprano :
« Si je chante faux,
C'est que j'ai trop avalé d'eau ! »

Une gre-
nouille qui chan- tait faux
Ren - con - tra un gros cra- paud. Elle lui dit en pra- so - no: «Si je chan-te faux, C'est j'ai trop a-va-lé
que d'eau!»

Bonjour, monsieur l'escargot !
Oh ! qu'avez-vous là sur le dos ?
C'est une belle maison,
Beau papillon, beau papillon.
On y est très, très bien logé,
Mais c'est lourd à transporter !

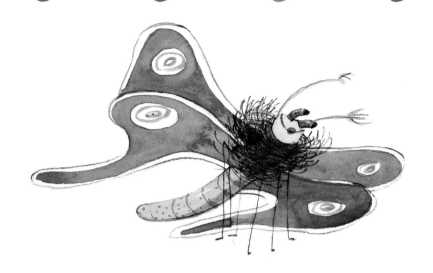

1. Bon-jour, mon-sieur l'es-car-got ! Oh ! qu'a- vez- vous là sur le dos ? C'est u - ne bel-le mai-son, Beau pa-pil-lon, Beau pa-pil-lon.
2. Bon-jour, mon-sieur l'es-car-got ! Ve- nez- vo - ler a - vec moi ? Je n'peux quit- ter ma mai-son, Beau pa-pil-lon, beau pa-pil-lon.

1. On y est très, très bien lo - gé, Mais c'est lourd à trans-por-ter !
2. On y est très, très bien lo - gé, Mais c'est trop lourd pour vo - ler !

Bonjour, monsieur l'escargot !
Venez-vous voler avec moi ?
Je ne peux quitter ma maison,
Beau papillon, beau papillon.
On y est très, très bien logé,
Mais c'est trop lourd pour voler !

L'escargot
et le papillon

Les doigts de la main

Les doigts de la main,
Il y en a cinq :
Le pouce, l'index, le majeur,
L'annulaire, l'auriculaire.
Le plus petit, c'est mon ami :
Il me dit de gros secrets
Que je ne vous dirai jamais !

Les doigts de la main, Il y en a cinq : Le pouce, l'in-dex, le ma - jeur, L'an-nu-laire, l'au-ri-cu - laire.

Le plus p'tit, c'est mon a-mi : Il me dit de gros se-crets Que je n'vous di-rai ja - mais !

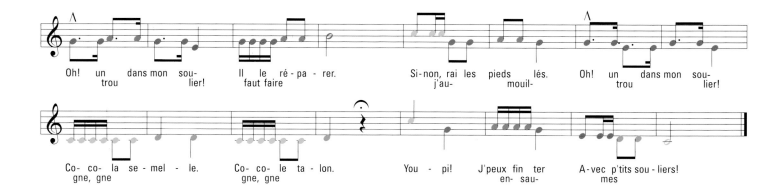

Oh! un trou dans mon soulier!
Il faut le faire réparer.
Sinon, j'aurai les pieds mouillés.
Oh! un trou dans mon soulier!

Cogne, cogne la semelle.
Cogne, cogne le talon.
Youpi! Je peux enfin sauter
Avec mes petits souliers!

Un trou dans mon soulier

Le loup-garou

Il fait nuit, rentrons chez nous.
Dans les bois y'a le loup-garou.
Hou! Hou! L'entendez-vous?
C'est bien lui, le loup-garou.

Il avance à pas de loup
Pour nous saisir par le cou.
Pfiou! Nous voici enfin chez nous,
Tirons le verrou!

Le singe

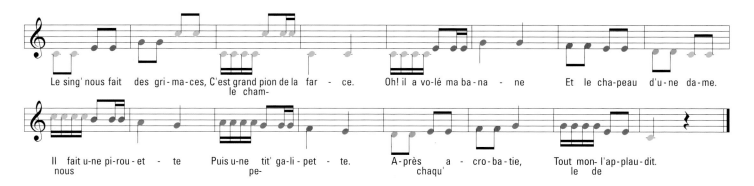

Le sing' nous fait des gri-ma-ces, C'est grand pion de la far - ce. Oh! il a vo-lé ma ba-na - ne Et le cha-peau d'u-ne da-me.
le cham-

Il fait u-ne pi-rou - et - te Puis u-ne tit' ga-li - pet - te. A-près a - cro-ba-tie, Tout mon- l'ap-plau-dit.
nous pe- chaqu' le de

Le singe nous fait des grimaces,
C'est le grand champion de la farce.
Oh! il a volé ma banane
Et le chapeau d'une dame.
Il nous fait une pirouette
Puis une petite galipette.
Après chaque acrobatie,
Tout le monde l'applaudit.

Tic tac tic tac…
Qui a un oiseau au fond de la gorge ?
Tic tac tic tac…
C'est mon horloge, c'est mon horloge.
Et qui me réveille très tôt le matin ?
C'est coucou, le petit malin !

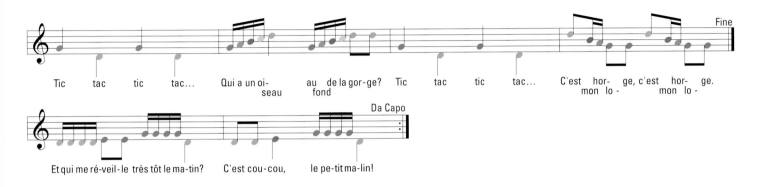

Coucou

Tic tac tic tac... Qui a un oi- seau au fond de la gor- ge? Tic tac tic tac... C'est hor- ge, c'est hor- ge.
mon lo- mon lo-

Da Capo

Et qui me ré- veil- le très tôt le ma- tin? C'est cou- cou, le pe- tit ma- lin!

Fine

35

Refrain:
Que vendez-vous, mon bon monsieur ?
Que vendez-vous sur le marché ?
Je vends des fruits, messieurs, mesdames,
Si vous voulez en acheter.

Voici des pommes et des citrons,
Voici des prunes et des melons,
Aussi gros que la lune !

Voici des fraises et des merises,
Voici des poires et des cerises,
Aussi petites qu'une puce !

Le marchand de fruits

La chenille se tortille.
De beau poil elle s'habille,
Et, quand nous vient l'été,
Elle va se rhabiller.

Du fond de son cocon,
Elle prépare la surprise.
Et, sans plus de façon,
La voilà très bien mise !

Pouvait-on deviner
Qu'une si petite chenille
Connaissait la façon
De devenir papillon ?

La chenille qui s'habille

La che- se tor-till'.   De beau ell' bill',   Et, quand vient l'é-té,   Elle va se rha-bil-ler.
nill'   poil s'ha-   nous

Du fond son co-con,   Elle pré- la prise.   Et, sans de fa-çon,   La voilà bien
de   par' sur-   plus   très mise!

Pou - vait - on de - vi - ner   Qu'une si pe-tite che-nill'   Con-nais-sait la fa - çon   De de-ve-nir pa-pil-lon?

L'abeille

Ah! cri-a la voi-sin', Une a-beill' ma cui-sine! Bzz! Bzz! Bzz! Ces - sez de cri-er, Je ne pas pi-quer.
dans donc veux vous

Je viens vous li - vrer Du bon miel do - ré. Bzz! Bzz! Bzz!

Ah! cria la voisine,
Une abeille dans ma cuisine!
Bzz! Bzz! Bzz!
Cessez donc de crier,
Je ne veux pas vous piquer.
Je viens vous livrer
Du bon miel doré.
Bzz! Bzz! Bzz!

Dansons...

Couplets:

1. Nous dansons en rond Comm' de joyeux lurons. Il faut suivre le rythm', On naît la musique.
tous
2. Te- nons-nous les bras, Mê-lons nos jo-lies voix. Il faut suivre le rythm', On naît la musique.
par

Refrain:

Til- sau, til- sau. Tri-o-let, tri-o-let. Til- saut, til- sau. Tri-o-let. Til- sau, til- sau. Tri-o-let, tri-o-let. Til- sau, til- sau. Tri-o-let noir'.
lé- lé- lé- lé- lé- lé-

Nous dansons tous en rond
Comme de joyeux lurons.
Il faut suivre le rythme,
On connaît la musique.

Refrain :

Tillé-sau, tillé-sau. Triolet, triolet.
Tillé-sau, tillé-sau. Triolet.
Tillé-sau, tillé-sau. Triolet, triolet.
Tillé-sau, tillé-sau. Triolet noire.

Tenons-nous par les bras,
Mêlons nos jolies voix.
Il faut suivre le rythme,
On connaît la musique.

En avant la musique!

Tu aimes chanter les comptines de ton disque ? Bien sûr, puisque tu es déjà un vrai petit musicien !

Savais-tu par exemple que, avant même de pousser ton premier cri quand tu étais bébé, tu avais déjà entendu ton premier **rythme** ? Bouboum… bouboum… bouboum…! faisait le cœur de maman quand tu étais dans son ventre.

As-tu déjà entendu parler de : **do – ré – mi – fa – sol – la – si** ?

C'est à partir de ces sept **notes** qu'est faite toute la musique que tu entends (à la radio, à la télé, sur tes disques…).

As-tu remarqué que, dans ton livre, chaque **note** a sa propre couleur ? C'est pour t'aider à la reconnaître.

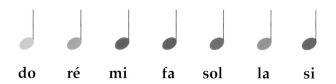

do   ré   mi   fa   sol   la   si

Chaque note représente un son. Écoute bien les comptines sur ton disque. Après avoir chanté les mots de la comptine, amuse-toi à chanter les **notes**. Bravo ! Tu connais maintenant tes premiers mots magiques de musicien !

En tournant les pages de ton livre, tu as vu des dessins comme celui-ci :

C'est   un pe - tit bon - hom - me, Oh!   comm' il   est gen - til!

Les lignes sur lesquelles sont posées les notes forment en quelque sorte leur petite maison. On les appelle une **portée**. Chaque note a sa place bien à elle sur la portée.

Viens t'amuser avec les notes*

Aimerais-tu construire ta propre maison pour abriter tes notes ?

Pour construire une **portée** géante, il te faudra un grand morceau de toile, de vinyle ou de carton fort de couleur blanche. Il devra former un rectangle d'au moins 1,6 mètre de hauteur et d'environ 2 mètres de longueur. Tu devras aussi te procurer du ruban adhésif noir (3,5 cm de large si possible).

Pose d'abord ton fond blanc sur le sol. Puis, en t'aidant de l'illustration ci-dessous, colle cinq bandes noires à intervalles réguliers sur le fond blanc.

23 cm

3,5 cm

Grâce à ta portée géante, tu peux maintenant t'amuser avec les notes !

* Pour faire ces activités, il te faudra demander l'aide d'un adulte.

C'est le moment de t'amuser à sauter comme un crapaud !

Tu te rappelles les couleurs données à chacune des notes ?

Prends un carton (23 cm x 30 cm environ) de chaque couleur représentant les notes, et inscris en gros sur chacun, au crayon feutre noir, le nom de la note correspondante.

| do | ré | mi | fa | sol | la | si |

Tourne la page et tu apprendras comment sauter comme un crapaud musicien en chantant chacune des comptines de ton disque.

Commence par les comptines les plus simples. Les cinq premières comptines sont chantées sur deux notes seulement : **sol** et **mi**. Fixe en place, avec du ruban adhésif, tes cartons correspondant à ces deux notes sur ta portée géante aux endroits indiqués sur le modèle ci-dessous.

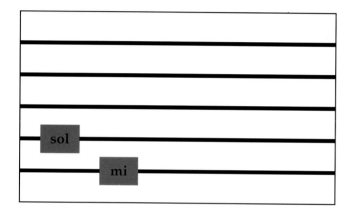

Prêt ? Tout en chantant chaque **note** de la première comptine, saute à pieds joints sur chaque « carton-note » correspondant (lorsque la note se répète deux fois de suite, saute deux fois sur le même « carton-note ») :

C'est un pe – tit   bon – hom – me…

sol   mi mi sol sol   mi   mi

Un conseil : mémorise d'abord l'air et les notes de la comptine pour faire cette activité. Tu pourras alors chanter et sauter sur la portée géante à ton propre rythme.

Lorsque tu seras devenu un expert du saut sur deux notes, augmente progressivement le défi en choisissant des comptines ayant plus de notes. (Attention : les dernières comptines du disque demanderont parfois deux cartons de la même couleur : **do** (jaune), **ré** (orange), **mi** (rouge) ; c'est que chacune des notes peut aussi être chantée sur un registre **aigu**.)

L'important est de respecter l'emplacement de chaque « carton-note » par rapport aux **lignes** et aux **interlignes** (l'espace entre les lignes). Mais tu peux placer tes cartons dans l'ordre que tu veux de gauche à droite, de façon à pouvoir sauter facilement d'un carton à l'autre selon les notes de chaque comptine.

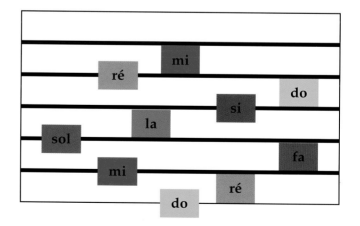

Variante : Si tu joues avec plusieurs amis, accrochez-vous chacun un carton-note dans le cou (en perçant de petits trous dans deux coins du carton et en passant une corde) et placez-vous sur la portée géante à l'emplacement correspondant à la note que vous représentez. Et hop ! Chaque ami saute lorsque **sa note** est chantée.

Bien haut les drapeaux !

Tu peux aussi t'amuser à apprendre les notes avec des drapeaux. Pour confectionner ton ensemble de drapeaux, il te faudra sept morceaux de tissu (du coton par exemple) de 10 cm x 70 cm environ, chacun ayant la couleur d'une des sept notes. Procure-toi également sept bâtons légers de 40 cm de longueur environ. Tu as ce qu'il faut pour fabriquer sept beaux drapeaux. Il suffit d'agrafer un bout de tissu autour de chaque bâton, et le tour est joué.

Tu es prêt à jouer ? Installe-toi par terre (de préférence devant ta portée). Ouvre ton livre à la première comptine (*C'est un petit bonhomme*). Prends deux drapeaux seulement : le bleu (**sol**) et le rouge (**mi**). En chantant les notes que tu entends sur ton disque, lève chaque fois le drapeau correspondant à la note que tu chantes.

Si tu as des complices, partagez-vous les drapeaux qu'exige la comptine que vous voulez chanter.

Amuse-toi, chante et danse !

Laisse-toi entraîner par la magie de la musique !

Table des matières